KB178027

이집트 문명사에서 나

오는 신체극이란 이완

과 수축이 있다는 것

이다 여기에서 피라미

드 파라오 등 많은 유

적을 발굴한것은 흔히

말해 고고학이라고도 말할수있다 그럼으로 써 이 기원전 에 일어 났던 일들에 대한 추 측을 가담화한다 다리 의 혈액상태를 통해서

피라미드를 올렸고 또
한 많은 예술인들이
건축해석에 대한 논리
가 있을것이다 글면서
파라오라는 신전에서
가면의 탄생이 시작되

었을 것이다 물리 적

인 방면에서 이것을

신체처럼 단단하게 굳

어지는 현상들을 아랍

권에서 사용을 해서

이것을 예술로써 접촉

시킬 수있다 아까말한

물리학 백터범위내에

서 신체는 계속 단련

이 되면서 공간을 차

지하는 연극의 역사가

될수있다 이 아랍권

인간역사는 1892년 정

도에 실시 됐던 걸로

확인을 시키고 또한

아프리카의 전통문화

예술을 발간시켰다 그

러하여 탱고춤이나 마

찬가지로 움직임의 요
소가 분명히 있다는
의미이다 이집트의 역
사에서 사막을 둘러보
고 나서 오아시스의
생수를 먹으며 건축적

인 즉 물리학적인 요
소들을 많이 알고 있
다 이러함으로 통해서
한국의 나그네 비슷하
게도 옷을 칭칭감는다
던지 어떠한 기색으로

써 이집트의 연극사가

생겨난 것이다 극장에

가면 기호학적인 것으

로 추정이 되고 있으

며 천문학적인 요소

들을 가진 점들도

있고 연극의 관측이

될것이다 또한 뱀의

형태소로써 차가운

기운을 뜻하는 바로

써 옮겨가는 형상도

볼 수있을것이다 바

빌로니아 문명에서

는 영화 에일리언의

해저도시를 알 수있

으며 이집트의 문명

과 더불어 그리스의

철학이 들어나게 되

어있음이다 또한 이

연극과학적인 요소

인 인체해부학도의

시침을 가지고 시간

적인 표현상식으로

써 이야기 할수있는

점이 들어나고 있다

비가오는 날에는 주
막에서 휴식을 할
수있는 곳에서 활동
하며 연극의 심리학
적인 메소드를 읽히

도 한다 이러한 공
간에서 또다시 연극
의 흐름은 계속된다
무엇이냐면 역사에
서의 틀을 강하게

바꾸어 신체 호흡성

을 보여주며 트임새

있게 분장극으로써

활약할 수있는 범위

가 있다는 것이다

그것이 바로 미이라

라는 것이다 미이라

는 군주들이 다쳐서

누구한테 물려서 접

근방법이 없어 죽었

는데도 환생술로써

미이라로 변화하기

도 한다 모든 종속

성은 이야기 하는

화술로써 가능하다

이들은 얼굴의 형태

나 눈의 빛세기등을

통해서 그러한 신체

적 통로로 발산이

되기도 한다 공연성

에서도 이러한 연극
의 시점이 차분히
들어 나게 되었다
신체극에서는 물리
적안 4N에서 7N까

지의 다리의 불포화

성을 나타내는것이

다 또한 소리에서도

갈비뼈의 형태로 수

학적 귀납법으로써

상관할수 있다는 점

이다

여기에서 천문학이

면 커다란 인형을

통해서 극을 생성할

수 있다는 것이다

원소의 형태로 이루

어져 획기적인 신의

상징의 인형을 달아

놔서 인간들이 말하

고 화술을 관객들과

공유하고 있을수있

다는 것이다 또한

이집트문명에서의

관로의 수도를 뜻하

는 움직임과 공연학

으로 인해서 배우들

의 행각이 주어질수

있다는 것이다 이러

한점에서도 무대기

계는 가만히 있지

않고 15N+100으로

써 물리적 작용이

이루어진다는 것이

다 공연장도 마찬가

지로 신체로써 이루
어지는 것이 선호된
다 따라서 인간의
이치에 대해서 평론
하고자 하는 이집트

의 예술인들이 라는

것이다 강약 조절이

가능한 형태도 있다

피리라는 부분과 나

팔 그리고 트럼펫이

라는 점이다 이것이

아랍권의 전통이 될

려면 공기를 인식시

키며 리듬미컬하게

들어 가야 한다는

뜻이다 흉식적인 의
미이기도 하지만 러
시아의 스타니슬라
브스키의 중요성을
알리기도 한다 이러

면서 점차 음악극적

인 퍼포먼스도 있을

것이다 극이 2000년

대 이후로써 작용이

되었다 또한 문명의

물질만능은 바로 연
금술이자 모래시계
를 따라 움직이는
것이다 꿈속에 있는
사람들을 열고 치유

하고 그것을 예술적

인 면목으로 지어나

아야 할 부분들이다

대본들도 마찬가지

로 아랍어로써 설명

과 디테일한 대사가 바로 마임극성을 가진 행위 또는 기술로써 상대를 할수 있을것이다 또한 공

연안에서 무기적인

행위를 유기성을 따

라 나타낼수있는 상

식선들이다 수학의

기본적인 X축과 Y

축은 Z축을 잉 갈순

없지만 중심부이기

때문에 사고화할수

있다 그렇게 되면

아랍계통의 불분명

확한 신체의 뜻을
이루어내지 못하고
있다는 것이다 그렇
게 되면 공연의 질
을 따져야 하는 것

이다 공연에서 신체
극은 기본적으로 훈
련과정을 통해서도
알수 있지만 다른
한편으로 기호학적

인 뜻의 심리적인

극장 유동성을 파악

시켜 관객들에게 선

호함을 줄수있다는

것이다 또한 수로성

의 의미는 물을 많

이 마시고 맑은 물

을 마쉬는 행위들로

써 차별화되기도 한

다 아랍권에서의 기

초적인 의학이 들어

갈수있을때 해부학

이 선명하게 보인다

그러기 위해서는 뼈

의 각도와 인체의

혈액 흐름도 그리고

두게골의 가변성을

같이 해주어야 한다

신체훈련을 총해서

발레나 아크로바틱

이 바로 되는것은

된다 이지만 어떠한

상황에서 다르게 표

현하고 인식 할수있

다는 것이다 또한

기호학적인 뱀은 브

라질의 아마존 형식

인 아나콘다가 아니

다 독뱀이 아니더라

도 뱀의 신체적 움

직임을 보라는 뜻이

다 이집트에서 관통

하는 활이 있을 수

가 있고 칼이 있을

수있지만 그것은 오

로지 습관성이며 공

연에서는 연극화를

시킨 하나의 도구라

고 생각하면 된다는

것이다 또는 문학적

인 요소에서도 또

다르게 표현할 수있

는 이집트 문명이

있다는 것이다 그것

이 바로 어린왕자이

다 그것 안에서도

습관적인것과 나눔

의 사회적 동물이

나타난다 그것으로

인해서 이집트에서

의 물흐름도를 알

수있고 피가 어디로

가는지 정서적인 부

분은 어떠한것인지

에대한 것이다 또한

촛불의식이 필요한

것이다 심리적인 공

포를 덜 하게 하기

위해서 사람들은 서

사적인 측면에서 내

려가기도 한다 왜냐

하면 연출자가 대신

하여 표방을 하기

때문이다 그러한 인

식속에 불이라는 요

소가 들어가기도 한

다 왜냐하면 검을

만들수있는 쇠 덩어

리가 될 수있고 가

스의 융합성을 알아

연출의 지도성이 틀

려 질수있고 공연의

함수적 위치를 알

수있다는 것이다 위

와 아래의 형상에

집중 하는것이다 또

한 희곡이라는 정서

를 노폐물로 생각하

고 계속 스며들게

하는것이 좋다 이러

한 관점에서 기능을

알아보았다는 것이

다 추가 있으면 어

떠한 개념이 될수있

는가 대한 생명의

줄이다 이 추는

10N과 11N의 차이

를 보이겠다 10N

은 정확하고 올바르

지만 굉장히 단순화

한것이다 하지만 부

풀어오르는 가스가

있으면 훨씬 정확하

다는 것이다 11N은

달리 어떠한 물질의

훌수 범위에서 1이

부족한것이 아니라

관객들이 이해하지

못하는 범위에 스게

될수가 있다 그럴때

는 마임을 쓰는 것

이다 여기에서 마임

기법 이라는것은 뼈

의 인체해부도에서

사용하는 신체이완

과 더불어 공존하는

움직임으로써 표현

이 된다 또한 초콜

릿 성분으로써 뇌를

자극하는 인문성 예

를 짚어보자 이러한

것에서도 사막에서

무엇이 살아남으며

이것을 선두하며 예

술의 가치를 어떻게

공존하는 지에 대해

서 설명한다 만약

비가내렸을때 어떠

한 시기기법에서 강

수량이나 포함화된

물질들을 가변화해
서 내면을써 메소드
를 활용해야 한다는
것이다 이렇게 하면
연기기법에서 수학

적 기법이 나오는

것이다 그러므로 그

려진 기호문체를 통

해서 신체의 분석이

필요하다는 것이다

그러므로써 상태들

의 변화가 마무리된

다는 것이다 이상태

에 대해서도 기관안

에서 장기의 손상을

예방하며 그 기관안

에서 흐름도를 따라

그리면된다는 생각

이다 또한 3D모델

링화된 구슬로써 심

리적　시뮬레이션을

더해야지 하는 것도

있다는 것이다 이러

한것은 누구한테 관

객들에게 좀더 세분

화시키는 작업을 동

반시하고 있다는 것

이다 또한 임의로서

공연의 장식이 있다

면 배의 도면 각도

를 잘 알아야한다

이 기법으로써 즉흥

적인 연출이 필요함

으로써 연극의 질을

향상 시켜야 한다

동반시했을때 그림

자극이 나와야 하며

그 형태의 앎서서

공기를 알아야한다

이 문명사의 이야기

틀에서 시측할수있

는 단위가 될수있는

것도 있다는 것이다

사우디아라비아의

수학적 귀납법식으

로 국가의 문명안에

접시가 다루듯이 이

집트의 공연의 역사

가 탄생한다 예외적

으로 햄릿이라는 공

연의 의상이라던지

코끼리 형태의 신발

을 신게되면 이에

반해서 공연의 흐름

도가 나올수 있을

것이다 문체에서 대

본은 소중한 배우들

의 목차이다 그럼으

로써 기하학적인 대

사라던지 외모에서

부터의 수염을 기른
다던지의 철학적인
모습을 지녀야 된다
는 점이다 이에의해
서 인체속에서의 내

면화가 장기속안에

서 희노애락을 일으

켜 세우는 과정들이

다 임의로써 누군가

에게 해택이 될수있

다는 것이다 관객들

은 지배성에 대해서

좀더 구체화 할수있

다는 것이다 아랍식

의 공연은 단지 백

퍼센트가 아니라는

것이다 어떤 발성과

호흡 속에서도 다스

베이더같은 과학적

인 형태의 퍼포먼스

쇼를 보여주어야 되

기 때문이다 이에

의해서 견뎌내야 할

부분들은 사학적인

흐름도 라고 생각한

다 이에 의해서 구
술의 논리성을 지배
해 태백의 아침을
불를수 있다는 것이
다 음악성도 타고난

부분들이 있다 나팔

을 든다면 이기심에

서 벗어나지 못하는

정도의 차이와 농구

화된 표면적인 흐름

도도 생각 나기때문

에 사고화 할수 밖

에 없는 상황이다

임의로서 장애의 연

기는 보여줄수있는

것은 언행의 화술적

인 논리인 것이다

이에의해서 공연장

밖은 여전히 추방에

가까워지는 논리이

다 게르만 상황에서
도 흉노의 뜻을 받
아들여 눈의 색깔이
라던지 발의 크기
등을 따지 기도 한

다 안구의 생각은

전부다 뇌로 가기때

문에 설명을 한것이

다 이에 의해서 가

설이 있다면 리어왕

의 여인들을 생각했

을때 여겨지는 문제

점들이다 섹스심벌

의 여성의 가치관은

아무런 상식선에서

이루어 지는 것이아

니라 어떠한 공간에

서 낙하가 될때 띄

는 형상들이다 구체

화하기 위해서 야들

에서 놀려다가 매를

맞았을때의 논리적

구상으로써 이란의

남성에 허를 꽂는다

는 의미이다 이러할

때 매라는 것도 신

체의 일부성일 가능

성이 높다 도면해석

이 필요했을때 나보

다 물리적인 형상을

나타내고 수학적인

계산 루트를 알고있

어야한다 구름속안

에서도 아랍의 현상

들은 뜨거운 태양의

시침아래에서 종속

하고 있다 그때 들

어보면 새소리가 나

는데 공연에서도 입

술로 휘파람을 불면

서 동물적인 연기를

할수있다는 방면이

다 자극적인 상황에

서도 커피와 노래의

신빙성을 보여주는

러시아 만질문명화

를 보여주듯이 아랍

에서도 신체의 중요

성을 깨달아야 한다

신체적 연극에서의

차이점은 바로 미식

축구를 하듯이 하는

경우도 있을것이다

극장안에서 브라질

마야인들의 의식속

에서 아랍도 마찬가

지로 축구를 하는

경우도 있을뿐더러

많은 학식적인 고대

를 할 수있다는 것

이다 이에 반해 또

한 무대적 속성이

들어나게 되어있는

데 림프관이라고도

불려도 된다 이 심

장과 연결되어있는

콩팥 요도 이러한

곳에서 공기 주압기

를 만들수있다는 천

차만별의 논리성을

주장한다 또한 먼지
속에서 톤이 형성이
되면서 토네이도의
의식성에서도 미국
의 실질적인 옐를

든 예술이 탄생할

수있다는 것이다 이

러한 점에서 걷기를

한다고 쳤을때 걷기

라는 종목은 움직임

의 원시적인 행위이

다 오스트랄로피테

쿠스의 형태와도 같

다는 것이다 아프리

카의 문명안에서도

광장이라는 곳이 보

이며 이곳에서 람세

스라는 보호 고대문

명의 섹스심벌주의

가 들어나며 나라를

지키고 독과 화살로

써 상대를 한다는

의미에 있다는것이

다 람세스의 마지막

후예는 중앙아시아

아프리카의 형성으

로써 이야기 하고

있기 때문이다 또한

형식상으로써 기본

틀을 잡는데 의거하

여 본모습의 형론을

빗대어 볼수있다 그

것은 거울인데 거울

을 보면서 웃어도

않되고 울어도 않되

는 공연적 사고방식

이 이집트 속에 묻

혀있다는 것이다 이

러한뜻에서   물리적

인 공간을 차지하는

관객석들은 어떻게
고정짖는지에 대해
서 아예 상식이 벗
어날수있지만 기계
적 풍차의 월리로서

시초되는 과정들이

다 이로인해서 관객

석들의 자동화석 물

리적 기반으로 땅을

갈라지게 한다던지

공상적인 착시현상
을 주는 것도 이에
반해서 된다는 의미
이다 항상 아시아안
에서 일본의 의식을

나뚫순 없지만 아랍

권과 비교를 해볼순

있다 가면(MASK)는

단지 표정의 어필어

런스를 한다는 것이

될수있지만 가면의

종속성으로써 이 가

면의 형태를 뜻에서

어떻게 움직일것인

가 또는 어떠한 방

패와 창이 있으며 전통의 역사가 어디에서 시작되었는가가 중요하다는 것이다 유네스코에서는

사람들의　흉식성으
로써 전통적인 의식
으로써 살고 있다는
자연주의적인　사상
들이 좋다는 것이다

이에반해서 이집트

나 아랍권은 불포화

한 날씨의 기운들

때문에 역설적이게

표현할수있지만 섞

이고 섞이는 문제들

이 있긴 하다는 것

이다 종결성의 마지

막의 서사적의 흐름

으로써 어떻게 광합

성으로써 갑옷을 만

들고 어떤 공연성을

타박하게 만들어 질

것인것에 대한것이

다 그것은 바로 돼

지고기의 문제인것

은 맞다 그것을 해

부학고 동물적인 가

죽의 형상을 만들고

가상화된 동물적 형

상을 주면서 화술을

쓰면 된다는것이다

감정이라는것은 두

배우의 관객안에서

이루어지는 차별화

된 희노애락을 즐기

는 것이다 여기에서

펜싱이라는 것은 해

보는것이 리듬미컬

한 문제들을 해방시

킬수있다 이집트에

서도 초콜릿을 만든

하에 초콜릿을 먹으

면서 공론을 하면서

연극을 하는 시점들

을 보면 사고화가
빨라져 점점 강도가
높아지는 연극을 볼
수있다 또한 공연천
장에도 마찬가지로

그러한 효과를 넣을

수가 있기 때문이다

이집트의 예술인들

은 절대로 식박하지

않는 시점에서 공연

을 할 수있다 공연
의 의식성에서 좌우
되긴 하지만 사회성
이 결여될수있다 이
사회성 안에 인문학

이라는 용어가 들어

가면 사고깊은 형태

의 공연을 할수있다

는 것이다 메소드의

흐름도는 침착해야

하며 손과 손을 마

주치는 형상과 시간

이되면 앉는 것의

신체적 요람이 있어

야한다 동물에서도

해부학이 있다는 점

은 그곳안에서도 극

장의 윌리나 배우들

의 감각적인 형태의

의미를 가질수있다

는 것이다

도서명 이집트 문명과 신체극사

발 행 | 2023년 10월31일

저 자 | 허윤제

펴낸이 | 한건희

펴낸곳 | 주식회사 부크크

출판사등록 | 2014.07.15.(제2014-16호)

주 소 | 서울특별시 금천구 가산디지털1로 119 SK트윈타워 A동 305호

전 화 | 1670-8316

이메일 | info@bookk.co.kr

ISBN | 979-11-401-4836-5

www.bookk.co.kr